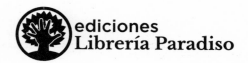

ediciones
Librería Paradiso

Once de noviembre

Para mi tía Noemí y
mi tío Felipe Espinoza que mi
poesía sea inspiración y
puente al futuro, con amor
Siempre

Anarella Vélez Osejo

eq 28. 3. 2022

Anarella Vélez Osejo

861H	Vélez Osejo, Anarella
V43	Once de noviembre
C. H.	--1a ed. --{Tegucigalpa}: {Ediciones Librería Paradiso}, {2021}
	86 p. 21 cm.
	ISBN: 978-99979-840-2-9
	1.-POESÍA

Once de noviembre
Anarella Vélez Osejo
© Ediciones Librería Paradiso
Primera edición, enero 2021
Tegucigalpa, Honduras, C.A.
ISBN: 978-99979-840-2-9

Ediciones Librería Paradiso
Tel: 9905-0615 / 2237-0337
Correo Electrónico:
paradisoanavelos@gmail.com

Dirección:
Barrio La Plazuela, No. 1351, Tegucigalpa, Honduras, C.A.

Ilustración de cubierta:
Rigoberto Paredes Vélez

Impresión Offset:
Ediciones Guardabarranco
Tel: 2236-6173 / 2263-6327
eparve@yahoo.es

Colección poesía

En el polvo, en el aire,
en esa nube
que tú no mirarás,
en mi mirada
que te calcó y fijó en mi más triste fondo
PIEDAD BONNETT

para arrancar de cuajo este sollozo
y no invocarte más
en desolados
versos.
CLARIBEL ALEGRÍA

convertir el ultraje de los años
en una música, un rumor y un símbolo,
ver en la muerte el sueño, en el ocaso
un triste oro, tal es la poesía
JORGE LUIS BORGES

La poesía que se escribe en este país demanda una actitud de desprendimiento amoroso y auténtico. Aquí se viven tiempos fieros y arriesgados, de indiferencia y apatía por las artes, por las y los creadores, quienes se ven forzados a la enajenación intelectual como efecto de sus ocupaciones en trabajos alejados de la actividad creativa.

En este escenario el poemario Once de noviembre de la escritora hondureña Anarella Vélez nos sorprende gratamente por muchos motivos, particularmente por la búsqueda de la palabra precisa que le permita transitar a la resignificación del dolor ante los cambios tan profundos que causaron en su vida las pérdidas sufridas durante el transcurso de tres años. En un período breve falleció su esposo, el poeta Rigoberto Paredes; se encontró separada de su hijo Rigoberto Andrés por sucesos también tormentosos y su hijo más joven, Fernando Antonio, también escritor, le fue arrebatado por muerte auto infligida.

Sin embargo, Vélez se sobrepuso a la autocompasión, la melancolía o la depresión. La escritura de esta nueva propuesta poética en medio de las condiciones de vida impuestas por el confinamiento y el distanciamiento social impuesto por la crisis sanitaria profundizada por la pandemia Covid-19, así lo verifican.

Este libro lleva el nombre de uno de los poemas que conforman esta obra, justamente la fecha del nacimiento de su hijo Fernando como un tributo a su memoria y para superar la angustiosa exploración de la conciencia del tiempo de duelo.

La elaborada poesía que encontramos en Once de noviembre devela su inmersión en el laberinto exclusivo de quienes han vivido tragedias semejantes. El pensamiento mágico se traslada a su poesía, en el que la muerte es cuestionada por la sobreviviente en una conversación con las diosas de la tradición cultural que proviene de sus ancestras, como en Invocación a Ixtab, la diosa del suicidio:

"¿a dónde va el corazón de las poetas

cuando mueren sus hijos?

¿se fuga con ellos?

¿qué ocurre con sus entrañas? .

¿se vuelven amargas?

¿se arman contra la injusticia de seguir vivas?"

La palabra resurge con fuerza en esta poesía testimonial en la que el sufrimiento por el sacrificio del hijo transmuta en buena literatura, en versos que se entrelazan con la palabra y nuestras cosmogonías ancestrales.

La muerte lo cambia todo, inclusive la relación de la escritora con su entorno sideral, que la transforma a ella misma como a los seres ausentes. Aprendizajes y representaciones que rezuman vitalidad, como leemos en el poema Incurable. Sufre la tristeza profunda de quien sabe que abandona la vida porque la vida misma le devora simbolizada en la figura de las Citlalli:

"tambores de la densa tierra

te despiden, cristales iluminados, Citlalli

tu ausencia es puerta y camino

de pronto la palabra yerma

que todo lo devora

arde y cierra los sentidos"

La poesía íntima de Vélez se entrelaza con la palabra de otras y otros autores, pero también con el pensamiento, imágenes, evocaciones relacionadas con la lectura que la autora realiza de su tiempo y surge de ahí una voz poética innovadora tanto por su concientización feminista como por su inserción discursiva dentro del contexto socio-patriarcal, tal como vemos en su poema Maestra:

"tu cuerpo es un país

huerto en el que florecen las ideas

la pasión por la rebeldía

cultivas en nosotras

hasta anular la víctima

que arrastramos dentro"

En la obra de Vélez se encuentran el yo poético tradicional con el nuevo discurso estético, particularmente cuando se incorpora al texto la mirada de la mujer identificada con el arte ancestral y las circunstancias de la autora. Poesía que genera identidad, poética para sentir y pensar. Por ello ponemos este texto en tus manos querida/o lectora/or y te invitamos a sumergirte en la lectura de la poesía hondureña en una de sus voces más significativas.

La Editorial.

Noviembre de 2020

Índice

La voz intensa de su corazón

para Fernando Antonio

"Cuando yo muera dadme la muerte que me falta
y no me recordéis.
No repitáis mi nombre hasta que el aire sea
transparente otra vez."
ROSARIO CASTELLANOS

Desde mi interior escucho
la voz intensa de su corazón
Nonantzin Ixmucané
su corazón, símbolo de humanidad
ritmo compasado con la madre tierra
y vibro como estrella derramada
desgranada en el firmamento
vida muerte sangre de poeta
el mar te nombra, Fernando Antonio
como campana que tintinea
para encender mis sueños

cultivo tu legado, pasión infinita
por el arte franco
espontánea entrega al deseo
indagas ahí la naturaleza liberadora del dolor
naufragas en los ojos de quienes saben amar
muy pronto es demasiado tarde para ti

te escucho, residir en ese cuerpo duele
caravana de soles y lunas
amar la vida, anhelar el amor
bullir como una llama cada vez más alta, fuerte
vuelve tu voz palpitante de nardos

tu llamado resuena en mi oído
como soplo radiante
con el poder que nace de las entrañas
insumisa me revuelco
ante los valores en los que no creíste
como tú, sediciosa ante la obediencia
homenaje al infierno impredecible
furia blanca que cuestiona la metáfora integral
morir o vivir en brava rebelión contra las normas
indefenso recorres tierras indomables.

Para ti
que siempre esperaste ser tratado con amor
pido, madre Ixtab, guía su camino de guerrero
acompáñale na´ Ixquic
ayudale, que renazca
arma, fuego, gracia, tiempo
desde mi interior escucho
la voz intensa de su corazón.

Girasoles

"Ese instante que no se olvida
Tan vacío devuelto por las sombras"
ALEJANDRA PIZARNIK

Hoy me entrego a su cielo, siento
el verdadero color de las cosas
y le abrazo intensamente
la muerte es un cangrejo extasiado
los girasoles, esas misteriosas luminarias
me oyen, les digo que urge
en esta casa
su deslumbrante sonrisa
el apremio de sus manos que destraban mi ternura
los rizos de azabache de su cabellera libertaria
su voz imbuida de luz
la canción de sus versos
son eco de las pulsaciones de su corazón
sin él, soy ceniza extasiada
sin él, me extravío en pueriles batallas
desinvento el silencio
sobrevivo a oscuras
al tiempo perdido
en esta tempestad que muerde
en este trance en el que yaces
en el que solo puedo amarte

Invocación a Ixtab

La poeta desliza en tu oído
su ruego, atiendele
madrecita Ixtab
vigila la ruta de su hijo
y te pregunta, escúchala
calma su sed

¿a dónde van los hijos de las poetas
cuando mueren?
¿acaso vuelven a su corazón?
¿a su interior?
¿vuelven a ellas, madrecita tierra?

¿a dónde va el corazón de las poetas
cuando mueren sus hijos?
¿se fuga con ellos?

¿qué ocurre con sus entrañas?
¿se vuelven amargas?
¿se arman contra la injusticia de seguir vivas?

¿qué pasa con la esperanza?
¿se vuelve un animal feroz
y las devora?

¿qué pasa con el miedo?
¿se instala en el cuerpo?

madrecita Ixtab, dile
conduélete, respóndele
antes de que el pensamiento
la triture
y la rompa en pedazos

Aciagos, desiertos días

para el poeta Federico García Lorca

Aciagos y desiertos días
fosa del futuro
traición imperdonable es
ponerse de cara ante el tirano
—repito sin sentido—
a pesar de la brutal asimetría
tú abres las ventanas
y me postro ante ti, poeta
venciste al fatal instante
que te arrebató la vida
víctima de feroces sombras
de estos infaustos y desolados tiempos
me previenes contra la tristeza profunda
amor más poderoso que la muerte
cada mañana
me pierdo y me encuentro
en tu poesía infinita
como la juventud sin freno ante la
Libertad.

Incurable

"los astros sólo son barro que brilla
el amor, sueño, glándulas, locura,"
IDEA VILARIÑO

Anclada en el pecho
tu ausencia es proyectil
y duelo ardiente
fuego que no extingue el quebranto
mirada que se ahoga en la galaxia
tambores de la densa tierra
te despiden, cristales iluminados, Citlalli
tu partida es puerta y camino
de pronto la palabra yerma
que todo lo devora
arde y cierra los sentidos
y yo sigo aquí, condenada, incurable
se anuncia la nostalgia como penitencia eterna
ayuno infinito en este paraíso desvanecido
que todo lo devora
arde y cierra los sentidos.

Sosiego

La huida que hiciste de tu vida
de este olimpo mutilado
de esta tierra estéril
como hierba tierna calcinada
desde las entrañas
mártir y verdugo
germinaste caminante
Penélope fue tu Ítaca
ruta bendita hacia la ciudad que amaste
dulce retiro
ella es gota de agua
que se disuelve en tu mar
es la fuerza suspendida en tus pupilas
es tu guerra en la paz
mansa, tibia compañía
ella, quietud y sosiego
tú, tempestad, desolación y castigo
éxodo inverso
sueño profundo
efímero reposo.

Ya Ax Che

Para la poeta Amanda Castro

Eres como La Ceiba infinita, Ya Ax Che
poeta querida
tras la borrasca leo tus versos
son relámpagos, de ellos nacen
astros, diosas y el canto de las mortales
lejos del oprobio del miedo
desnuda, indiferente
entre escombros levantas la cara
remueves el verde de las hojas tiernas
y miras de frente lo que más amas
Xochicuáhuitl premiala
con la lluvia que brota contigo
implora la brisa y
la libertad, ventura de su tiempo
el universo es tu nido
Ya Ax Che
asedia el amor aquí
y que retorne el olor del mar.

Paisaje en cuarentena

Las penurias siguen aquí
sin aleaciones, nuevas o viejas
qué más da, bajo la luna
aún sueño con tu nombre
la locura sigue viva
en el agua turbia
se propaga, como los suspiros
eres una mala palabra
eres el son de la guerra
que invade mis heridas
nadie, nadie me cubre
trastornada sueño
paisajes de sepulcros
paisaje en cuarentena
insumisa
despierto
y descubro nuevos goces
solo para nosotras
abandóname, apenas sigo en pie
despierto en una nueva era
de calumnias
y desprecio por el universo.

Nada queda en pie

La nada
nada prefijado
nada al azar
nada imprevisto
nada es suficiente
nada para seguir viviendo
nada para calmar la angustia
nada para domesticar la bestia
nada queda en pie
en medio de esta pandemia
nada para que brote la luz
nada para que brille la poesía
nada
quizá el fetichismo.

Las palabras

Para las poetas de mi Matria

Las buenas palabras
las malas palabras
las palabras trágicas
las palabras mágicas
las palabras obscuras
las malditas
las desamparadas
las eróticas
las espirituales
las curiosas
las teatrales
las tenaces
las pandémicas
las resistentes
las que duermen el sueño de los justos
las que indignan
las que sangran
las que matan
las mecánicas
las poéticas
todas me hacen vivir
un tantito cada día

De cara al Sol

Para Margarita Murillo y Berta Cáceres

A veces, cuando pienso en ti
Margarita
tras el llanto de los versos
busco la sombra para liberarme
del fuego
y entonces te invoco Itzamná
y medito la luz
y siento tu sol que me abraza y me ilumina
y contigo, Berta
escapo de mí misma
y repaso mi existencia
y rompo los muros infernales
y siembro tu huella entre mis hermanas
y las busco desesperadamente
en esta tierra malograda
para huir de la muerte
y asaltar la vida
y comenzar
con el cuerpo y con la mente
de cara al sol

Secretos

"Aquí están tus recuerdos:
este leve polvillo de violetas
cayendo inútilmente sobre las olvidadas fechas".
OLGA OROZCO

Las arcanas voces están ahí, al despertar
se encojen, ante la incertidumbre
te escucha la tierra
arropada en su inocencia
ahora lo sé
motivo de ludibrios informes
viajan contigo poeta, te desgarran
los secretos obscuros de secretas naciones
tienen carácter errante,
pasan de la ventana a la boca
perdidos como caracoles
quizá no son secretos y alguien los escuche
adversos hablan y se esparcen
te siguen como las sirenas
en el fondo del mar o en la playa virgen
castigan la cuna de nuestra gente
los recónditos y letales anclados en la memoria
son sueños y son llave
abismo que esconde los colores
y el hastío de la Matria.

Lamento por el pasado

Se repiten, incesantes, los días
pusieron sus nombres
Uaxaklajuun U´bbah Kawil
Morazán
Cabañas
Graciela
Visitación
nos seducen sus vidas, sus acciones
pusieron la historia en nuestras manos
y su infinita, milenaria espera
reclamo sus destinos poesibles
memoria renovada en eucaliptos
fugaces entretejen el futuro de nuestra estirpe
armoniosa como los blancos días
asedian al presente con la sangre heroica
para salvar a quienes sufren
en acalladas y delirantes noches
de crímenes, guerras, latrocinio
el pasado retorna como sombra inmortal
crece como planta robusta
y cantan a las cadenas rotas
y les nombramos uno a uno
Xilonen, madre virgen
que no guarden silencio.

Las horas

"La tierra se va cansando,
la rosa no huele a rosa.
La tierra se va cansando
de entibiar semillas rotas"
DULCE MARÍA LOYNAZ

el sonido de tu voz me da las horas
tierna historia robada a los mitos de origen
amada, me repliego
si regreso tocando fondo en la evocación profunda
y la fantasía, entonces
soy como el agua o más bien como el aire,
anclada mi sonrisa de muchacha enamorada
en tu retina
la angustia crece
tu existencia es una ofrenda, mi abrazo te detiene
sigilosa como la luz
escucho el orden natural desde el fondo de mí
y me pueblan rabia y tristeza juntas
a esta hora del día o en la discreta noche
movida por el azul de tu agitado sueño
y escucho
la sombra de la furia que desata el déspota
en estas horas terribles
de ofensas, de injurias
vuelven las dulces, las ardientes fechas
que te llaman a saltar a la trinchera.

Ixmucané, comienzo infinito

A mi madre, Gloria Osejo Paz

"madre amada
cuando yo muera
sepúltame en el hogar"
NEZAHUALCÓYOTL

la luz, el color y la buena lluvia se parecen a ti
madre, diosa del maíz
la de gesto dulce
cierro los ojos y te veo
Ixmucané, comienzo infinito
tu recuerdo es conjuro, refugio
empeñada en mantenerte viva te evoco
el mar y las montañas, el río y la templanza
son como tú
entre las piedras y las sombras eres regazo apacible
en el que habito, tu eres brillo, cielo, hogar
y me reencuentro
ligera y única en este paraíso
eres trova entre el silencio y la metáfora
me abrazas, palabra de almíbar
juntas escribimos nuestra historia
madre, mujer verde horizonte
le das sentido al canto de todas
eres trova por la valiente alegría de la Matria.

Once de noviembre

Para Fernando Antonio

"La lentitud es belleza
copio estas líneas ajenas
respiro
acepto la luz
bajo el aire ralo de noviembre"
BLANCA VARELA

es once de noviembre
te nombro con envolventes palabras
tiempo minado de luz que germina poesía
contigo leí de otra manera el Popol Vuh
y vi de otro modo al colibrí sobrevolar la flor
me volviste raíz afianzada a este suelo
del que emana hálito ardiente
sabor que penetra nuestra antigua tierra
contigo, Fer, los sueños son pájaros que murmuran
el renovado llamado a la guerra
el invocado verbo ancestral
once de noviembre de 1989
inauguras un nuevo tiempo
persiste Morazán en la memoria
once de noviembre de 1827
Lastiri y Morazán son brújula
el cielo vuelve a estar ensangrentado
en San Salvador
veintiocho años señal encadenada

me abrazo a tu imagen soberbia
cautiverio teúrgico es tu vida y tu muerte
tu rostro tan profundamente amado
es presencia enarbolada
Fernando Antonio florecido
Fernando Antonio eterno

El mar

Para Rigoberto Andrés

Me atraviesa el mar, pido que no me hiera
quiero abandonarme en él
extraviarme en él
busco tu mano en ese espejo sediento de tu imagen
la palabra y tú nacen en este instante
guárdenme de tu ausencia
tan larga, tan profunda, tan honda
el mar me enhebra a tu piel
arena y marejada hierven los azules lejanos
me atraviesa la voz del mar, pido que no me hiera.

Partir a tiempo

"eres la duración,
el tiempo que madura
en un instante enorme, diáfano"
OCTAVIO PAZ

Yo espero
entrar a ese tiempo de luz y sombra
destello del absurdo simulacro
de las primeras inequívocas cosas
la puerta abierta y la sonrisa de las magas
son el fruto confiado al despertar del árbol
los inviernos con su filo inadvertido
te acompañan y quiero llorar
y surgen el grito y la rabia
muero poco a poco, condenada
al ruego eterno madre Ixbaquiyalo, no me expulses
de su paraíso, ahí reconoceré su andar
es como el caudal de un río
y te ruego que no me ciegue el agua
que sea clara como sus manos
que broten como el fuego del precipicio insalvable
para esconderme en el viento
y volver a ti
volver a ese lugar
al otro lado del amor y de la muerte

Hojarasca

"mi corazón que baila con espigas
o lucha sin cuartel cuando hace falta.
Yo te pregunto, ¿dónde está mi hijo?"
PABLO NERUDA

Algún día fueron frescas, verdes, rojas
las hojas de los árboles y sus flores
las hojas de los pinos y de los eucaliptos
de las xochimeh marchitas
caen los pétalos secos
las gotas de la lluvia las golpean
caen, abrazadas por los rayos del sol incandescente
yo no soy diferente a la hojarasca
también ahí hay vida
sobre ella se posan las moscas,
se alimentan ahí los invertebrados
las babosas y las cochinillas
como en una ciudad desconocida
mi muerte comienza con su muerte
ahí aguardo mi último día
desde el recodo de esta soledad
ni el vuelo de las aves de rapiña
ni la huella de sus pasos
o el recuerdo del perfume de su cuerpo
o la distancia que no borra las palabras
detienen la caída de las hojas desprendidas de las ramas
son como las horas que caen de mi tiempo
ante el pulso de mi corazón desierto.

Libertad

Digo libertad y pienso en ti
resuenas como una danza lejana
nos llaman el Huéhuetl y el Tunkul
tú y el Fer crecen como una hoguera
les percibo como furiosa lluvia
son la fuerza elegida
sangre y bravura con alas
crean su destino innominado
muy pronto se propagan en la primavera
y mis ojos les miran
apasionados y heridos
vienen a mí como música nocturna
se burlan de nuestros rostros
tentados ingenuamente por las utopías
delirantes se vuelven oruga y mariposa
convocadas al Tlalocan
a son del Tunkul nos llaman
como el Huéhuetl me suenas, libertad
tú y el Fer crecen como una hoguera.

Enramadas violetas

Las palabras
se desgranan de un árbol
de enramadas violetas
como semillas
germinan
les sigue una noche inmemorial
nos envuelven con ritmo y cadencias

nos tienen miedo
porque no tenemos miedo

Q´uk´umatz te invoco
atrás quedan las renuncias
las luchas antídoto
de las nostalgias
al amanecer
reinventamos
los nuevos elementos
la convulsión
el grito
la manifestación sol
la manifestación fuego
incienso y copal
un tantito de ruda
eco y memoria
de nuestros muertos
y me visto de resistencia
paraguas y pancarta
y antorcha
¡Fuera el tirano!

Itzamná, acompáñame

Tengo las úlceras abiertas
frágil me rompo como leña vieja
imploro, cese el escarnio de la espada enemiga
conozco a fondo la muerte
y sueño que represento algo nuevo
en la narrativa de estos días
y soy parte de la casa del rocío
néctar para la muerte y la vida
Itzamná, acompáñame
rostro del sol, vértigo del ocaso
anticípate al otoño
para mí ya no hay descanso posible
las leyes naturales me conducen
a otro Tlalocan, la tierra prometida
soy estela que escucha otros cantos
que volverán a mí
como secreta letanía
Itzamná, guárdame para recibir
el tiempo nuevo
libre de los despojos y las miserias
de esta dictadura.

Holocausto

A las mujeres caídas en las luchas de mi país

La fresca hierba ha sido desterrada
de este país amurallado
en la sonrisa de las niñas veo reflejada
la añoranza de la madre luna
en esta hora aciaga cuántas de ellas caen
aletargadas por la tortura
mansas como gacelas penetradas por las balas
ahí el dolor es un balcón perdido
y la tristeza es un alfiler instalado en el pecho
tributo a las que se van estremecidas
la costra es el lamento de las pieles desgarradas
sollozos, gritos, heridas
en la presencia del terror que vence a la piedad
que frenan la vida
y pasará la tormenta
y volverá el tierno canto a la alegría
llevaremos a su fin el holocausto
que nos ha impuesto el tirano
Huitzilopochtli, acompáñame en este desafío.

Ixquic, madre, sosiégame

Ixquic, madre, sosiégame
no me abandones
déjame entregarle la flor del día
porque le quiero
descubre su luz y permíteme tocar su existencia
frente al mar, ver con él los pájaros al vuelo
anclada estoy a sus juegos
a su sed de emociones ante la arena y la sal
no está solo, tú conoces su corazón
de joven y enamorado poeta
su camino es mi camino
escribo para estar ahí, en su morada
en cada sol de sus mañanas
la eternidad y él son lo mismo
su viaje prematuro y misterioso
acto de rebeldía libertaria
me acerca a ti, me une a él
y le amo
Ixquic, madre, sosiégame
no me abandones.

Ameyallis

Para las niñas huérfanas de mi país

Entre sueños, medio abro los ojos
en esta duermevela dulce les pido
no se pierdan, átense a sus raíces
afincadas a esta tierra, no se afanen
trémula les ruego, que vibren ante la creación
y las creencias ancestrales, rayo divino
sagrado fuego, creador benigno
ustedes, ameyallis, se revelan en la brisa
guardianas de los bosques
de la música, la plástica, la imaginación
transmutan ágiles y nerviosas
en poder oculto que nos mantiene vivas
entretanto, desde mi cuerpo atravesado
por su ausencia, tejo la red insondable
que me une a su destino y me penetra
y eleva la vida a lo desconocido
agitada ante el pavor de estos instantes.

Spleen de París

Mi voz no alcanza
para comunicar la inquietud interminable
que me abate y se instala en este infierno
combate feroz
misión infame
las profecías se cumplen
y gimo con Baudelaire y su Spleen de París
la poesía no muere, dicen
la angustia se aferra a mi y la sensación
de pertenecer a la nada
ante la última de tus batallas con la palabra
y la música
eufemismo es la alienación de la vida
en esta media noche eterna
de amor insatisfecho
cuando el cuerpo es un tormento y
solitaria, con los escombros a cuestas
me invaden
la desazón y la memoria
aún no sabes
que el mundo está en ti
y eres color en este invierno
infinito.

Tus manos

Para José Antonio Velásquez, pianista extraordinario

Tus manos y mis manos
halan la misma carga
de saberes potentes
en conflicto con la amarga, fatigada
búsqueda de los sueños
la música es brasa
te quema
y la calma no llega
la voluntad no alcanza
para sentir el anhelo del cuerpo
paradoja trágica
es la nostalgia que nos quebranta
desfigura el gesto y el descanso
disipas el sentido de este universo
indago en las líneas de tus manos
la paradoja trágica
de la nostalgia que nos salva
y el ritmo es rabia, es furia
para encontrar la belleza.

Me abandono mutilada

Para Catalina Cruz, cantautora

Nuestros huesos vuelven a ti
madre Coatlicue
como distraída
te los llevas a contratiempo
y yo quisiera que se vuelvan florecitas
en mi camino
y me abandono mutilada
y mi boca se cierra, aguardo
para entender la vida
la guerra, la furia, el perdón
en el rastreo sin límite de sus huellas
de lo inexpresable de su luz
entre tanto, pido
no me desatiendas, protégeme
vuélveme verdadera
para hacer juntos huesos viejos
amarle sin sufrir
no fue posible
guíame, te pido
vuelve conmigo a su seno.

Miradas

Tu mirada es como el sonido
de las caracolas
posee el don de dar coraje,
se instala invisible en mí
me habita
puedo brotar de ella
marca mis versos
viaja conmigo, con mi enojo cimentando
las fantasías
en mi callado cielo
o en esta tierra y sus sombras
tu mirada libertaria
fresca como el cilantro
me mueve
y te reconozco
voluntad enajenada
para la existencia
como la corriente enfurecida del río
me arrastra,
por la ruta de espinos ocultos
noviembre
ojos hoguera
    vivo con tu mirada apacible en la memoria.

Huella y bandera

Para las mártires de mi país

Vivo en un país de in-posesas
ellas son huella y bandera
historia de largo plazo
bocas que cierran a otras bocas
nos aturde la conquista .
atisbo el odio en el reparto
desigual del poder
aún nos hieren las cadenas
y el arte de las opresiones perfeccionadas
28 J; 27 N
derraman semillas de libertad
Vicky Hernández
Ilse Velázquez
Margarita Murillo
Berta Cáceres
Kimberly Fonseca
Soad Bustillo
aquí estamos las que no poseemos nada
en esta tierra de carencias absolutas
al anochecer me pierdo en el sendero
intento escabullirme a El Paraíso
y amanece, descamino la ruta
que me lleva hacia ti, libertad
alerta permanente
ciudades encendidas
arden

Toci, te invoco, corazón de la tierra
vuelve sobre tus pasos sagrados
cubre nuestros pies desnudos
en esta triste larga noche
347 semillas de libertad
germinan, se multiplican.

En el aire como aliento
fresco de la mañana

Para Fernando Antonio, por supuesto

Urge la alegría en esta casa
multiplicar tu presencia en este laberinto
aquí estás
en el aire como aliento fresco de la mañana
esencial se ha vuelto todo
te invoco Ixchel
para fortalecer estas cadenas
que me atan al eco de su voz
de este lado de su ventana
mi cuerpo teje el silencio
flor que quema
te pido, alucíname, vuelve
que su boca me hable de la luna
muero cuando digo su nombre
y vuelvo a morir
cuando tropiezo con su imagen en la Mac
la pena hiela, no mata
y el sol de noviembre
es símbolo del instante, de la dicha
de habitarte
deslizándome entre tus puertas
bebo en tus espejos
la memoria resurge ahí como amapola
me escinde

me aniquila
me devora
y me vuelve cielo y mar
que me lleva hacia ti.

Andadura inexorable

"Yo creía que quería ser poeta,
pero en el fondo quería ser poema."
JAIME GIL DE BIEDMA

La poesía perdura en ti
transmuta la palabra
alarido, grito
matria, raíz
miedo, pasión
estuviste a salvo
de la andadura inexorable
hacia la utopía
hacia el doble filo del deseo
de la huida de tu propia carne
te impulsa el canto
y vuelas al lugar donde naciste
a prolongar la voz del elegido
tinta y luz
tierra y fuego
has sido, eres.

Tiempos de duelo

"En el corazón de cada árbol
se ha estremecido la medianoche.
La noche se desmenuza
en lenta procesión de niebla."
NORAH LANGE

En estos días de incertidumbre y espanto
digo tu nombre hijo
y digo árbol
y digo iluminado
y digo ángel
y digo mar
y digo herida
y digo canto
y digo luna
y digo visión de lo sagrado
divina Cihuacoatl, mírame
tú que me acompañaste
en su nacimiento
en ese momento glorioso
que aún vive intenso en mi memoria
escucha mi voz
no me dejes muda
devuélveme el misterio
del amor.

Refugio

Paradiso es un lugar que existe
en los poemas de Rigoberto Paredes
las artes se avivan día a día en este escenario
y el amor no termina aquí
se vuelve intenso, profundo, por las noches
Paradiso es un lugar que existe
en el abrazo que intercambia Morazán y Lastiri
por la gracia del pincel de Rigoberto Andrés
el arte abunda aquí
lo inunda todo
en las Canciones de Cama de Fernando
lectura inevitable a esta hora de la vida
Lucía, Dariela, Valeria y Linda
son poesía viva en este jardín
hablan la lengua ancestral de la sedición
son la memoria de estos días
en los que nada es trivial
dicha y dolor y sombras y el canto del colibrí
son huellas esculpidas en mi carne
en esta casa lejana, desconocida.

Maestra

Para Marielos Chaverri (1939-2019)

Tu cuerpo es un país
huerto en el que florecen las ideas
la pasión por la rebeldía
cultivas en nosotras
hasta anular la víctima
que arrastramos dentro
y nos tornamos transgresoras
y quebrantamos el olvido
alcanzamos la raíz del tiempo
y somos arcilla moldeada
galvanizadas a fuego lento
águila sosegada en nuestras manos eres
nos hablas de todas la teorías
Beauvoir es río de aguas procelosas
Marx es bosque de Ceibas
Ranke y seguidores son las grietas del pasado
madre de nuestro entendimiento
eres puente y puerta y ventana
y lluvia y primavera y brisa
apegada a nosotras vivirás para siempre.

2018

"Soy un alma desnuda en estos versos,
alma desnuda que angustiada y sola
va dejando sus pétalos dispersos."
ALFONSINA STORNI

Sin ti, de madrugada
la vida se ve de otro modo
escindida en un mar de dicotomías
ser buena o mala madre
en ese momento en el que la respiración
se extiende hacia el vacío
tabú enorme
arrepentirse o no
de la maternidad
en este país que está en llamas
poseer o no habitación propia
es un agravio
tú has sido mi brújula
buscar la palabra justa para recobrarte
dudas en este extraño paraíso
asociadas a la vida en este infierno
a la inversa de la venganza
elijo el desafío de amarte.

Lastiri

Para las libertadoras

Guardo la alegría para mirarte
más allá de los espejos cristalinos
eres la mujer que me devuelve
el olor de los atardeceres, aroma a tierra liberada
ya tienes un lugar en nuestra memoria
el silencio se ha roto
nacida en la colonia, trasmutaste
a libertaria de palabra y obra
paralelismo inequívoco
entre la agitada y exasperada lid, del calmado sueño
de una Centroamérica emancipada
convertiste la belleza de la luna
en batalla constante más allá del amor
Morazán, combate y amatista
pugna entre el albor y el desconsuelo
y nadie mejor que tú
pinta el camino con el color de la lidia
la justicia tiene en ti un valor creciente
cruzada por la libertad
coraje para desaprender los dogmas
y preservar la vida
insistes en buscar hasta el delirio
el girasol en el salvaje horizonte
para evitar al tirano que te oprime
el mundo visible desvaneces
en la batalla cotidiana
para abrir la ventana a la primavera.

Sonidos

Para las defensoras de los derechos de las mujeres

Una mujer
lleva consigo a este país a cuestas
ahí surgió la vida
en la niñez quebrantada
aprendió el nombre del espanto
de la ciega noche
lugar donde el olvido no alcanza
conoció la música del silencio
ahí, herida y cicatriz son la misma cosa
y la dicha es una desconocida
vive en un naufragio permanente
no le queda nada para perder
desde la oquedad infinita en la que vive
te nombra, Itzam Na
devuélvele la sabiduría
el cielo, el día y la noche
enséñale
hacen falta las hazañas para saciar el caos
que renazca benigna de las cenizas
y el corazón baste para amarles.

Desconocidas

Para quienes se aman, a pesar de todo

Tú, mi libertad
tú, mi destino
me amas de todas las maneras
como Safo y su culto a Afrodita
desenfrenadamente
o como Tirito a Amarilis
en las Bucólicas de Virgilio
apaciblemente
como Catulo a Lesbia
vengativo
como Swan a Odette
o como Albertina a Gilberta
licenciosas
con el deseo de posesión hasta la muerte
en Otelo y Desdémona
con el desprendimiento de Horacio
y Ovidio
y también
como Propercio a Cintia
jadeantes, sempiternos, ambiguos
con el reprimido erotismo
de los amores epicúreos
como Calixto y Melibea
amor, erotismo, todo es igual
en el reino animal
ciego, insensato
ante la libertad.

Transición

De la cuaresma al carnaval
de la castidad a la licencia
dualismos sin fundamento
carne y deseo
yo y el otro, la otra, perdidas todas
en el camino de los fundamentalismos
taoísmo
tantrismo
anabaptismo
ruta sembrada de penas y
consagración del desenfreno son
eros, luz y sombra
naturaleza reconciliada
busco mi ración del paraíso
imantada por el éxtasis
misterioso y lírico
del patíbulo de la opresión.

Resistencia

Para mis hermanas garífunas,
para Mirian Miranda

Las fronteras son de cristal
en estas tierras
aquí se mueven las que aún tienen
ojos de ensoñación
o de rebeldía
la piel de ébano
busco las flores silvestres que perfuman
sus cuerpos
déjenme beber en sus fuentes
son mi paraíso
silenciosas
rotundas como la palabra misma
imaginan un país, una matria
en la que resuenen sus pasos
en las calles
ahí eligen la brisa de la lucha
resistencia
la medida de mi tiempo eres tú.

Conjuros

"Dame la humildad del ala y de lo leve,"
VERÓNICA VOLKOV

Yo soy esa madre
que rompe los conjuros
dentro de mí
se contraen y se quiebran
si, entre estos cuatro muros transito a oscuras
por un tiempo de angustias
en derredor de esta casa de granito y esmeralda
el paisaje tiene, a veces
el color del pan de oro
en medio de estas montañas
de pinares y robles
y el río grande de Choluteca
siento que el hambre de tu voz
me consume
no caben en este cuerpo
más ausencias, me calcinan
las reconozco y lucho y las transfiguro
en agua fresca
en flor de noviembre
en palabras.

Honduras

"Es el cielo del canalla,
es el sol del buitre
es el cielo de la mosca."
TEDI LÓPEZ MILLS

El invierno se ha detenido aquí
es texto perpetuo
inagotable
escaparate cerrado
al sabor de la ternura
el silencio
grita, golpea
falta aquí la gracia
la lectura precisa
para construir la memoria
que deje ya de ser feroz y dolorosa
urgente, confusa
de mi pecho surgen como un rayo
las palabras
dictadura
absolutismo
satrapía
y me desgarran la garganta.

Hermanas

Para mis hermanas las poetas

Hermanas, la orfandad es un abismo
en ella se descubre
la inmensa soledad que nos habita
el abandono
es mi atuendo desde entonces
se transfigura al alba
me atraviesan de tajo
el arrepentimiento o la ternura
su rostro amable es la nostalgia
y me lluevo
y me briso
con la dulzura en la memoria
de las ancestrales presencias
que abrigan y se parecen
a nuestras diosas
la orfandad me recuerda a las hojas
que se quedan en este suelo matrio
sin su árbol en el quicio de tu mirada.

Meditarse sin prisa

Para mi abuela, Ángela Paz Guzmán

¿Qué es lo que puede hacer una mujer
al meditarse? se viste de pureza
se abandona a la compasión
calla y comprende en un instante
las formas múltiples de la vida
aquietada, atenta
al mar, símbolo y metáfora
evoca seducida
el mensaje de la lluvia
parábola de la íntima ancestralidad
se espiritualiza y busca a las arcanas mayores
la emperatriz de bastos
en el lienzo de Melissa Rivera
recuerda meditarse sin prisa, y
se vuelve milagrosa y restablece
la belleza del verde de las frutas
la virtud del grillo que musita
su hambre de amar.

Bienaventuradas

Para las mujeres que luchan por la dignidad
Nuestra América

Bienaventurada la maga que no enmudece
en este tenebroso tiempo
bienaventurada la que devela la verdad de la injusticia
de la migración involuntaria
bienaventurada la mujer que no olvida
y no desconoce la sangre derramada
bienaventurada la pintora que no desluce los colores
de la cobardía de las instituciones
bienaventurada la historiadora que no se distrae
con el abalorio de los poderosos
bienaventurada la mujer que rememora
sus desventuras y arrebata sus tristezas a la muerte
bienaventurada la que pide a gritos
respeto para su vida
bienaventurada la que no renuncia
a la luz de la poesía
bienaventurada la que se convierte en tormenta
y entiende que nada es regalo
bienaventurada la que rompe las cadenas
las propias y las menos visibles
Bienaventurada la que vaga por el mundo
sin olvidar la tierra nuestra
Bienaventurada la que no olvida dar el soplo
para que el fuego no muera
bienaventurada la que da la vida por la vida
y siguen aquí, resucitando.

El hogar

En esta tierra abisagrada
al cuerpo
de la mujer que soy
aún queda la ceniza impalpable
de algo que algún día fue un hogar
perdí el albedrío de hablar con las diosas
solo queda imaginar los rostros
que me interrogarán
sobre el milagro de la vida y la muerte
de los silencios y las palabras
que resuenan
en este hogar levantado
para la ternura
en medio del horror
del campo de batalla que es este país
de lazos dilatados
por las miradas de las nigromantes
que aún queman en hogueras
acullá de este tiempo
de exilios, pandemias y Covid-19
me sorprende el sonido de tu vuelo.

Que transmute en tolvanera

*"Alguna vez los ojos tocan al fin el borde de las cosas y
siguen su camino con una luz distinta,
apenas distinguible"*
MALVA FLORES

Humilde le pide a Huitzilopochtli
que transmute en tolvanera
que nada quede en pie
el país ha cambiado
y ella también
desde las cumbres
puede percibir el aliento enmudecido
de las que llevan días sin comer
y se dice a sí misma:
la huida de su mano temblorosa y sabia
la sumerge en las raíces
de este árbol
fraterno y modesto
que ha ido creciendo dentro de sí
mansamente clama a Tlaloc
que transmute en tolvanera
que nada quede en pie
reconozco esa voluntad
que la ata a estas calles
de falsos cristales pulidos
de cara a sus dioses
rechaza la amenaza apocalíptica
la belleza y la verdad condenadas a muerte
y cubre su rostro y empuña el fusil
el país ha cambiado
y ella también.

Tu voz, Bolivia

Les invoco, madres
Coatlicue
Xochiquetzal
Ixtab
Meztli
Cihuacoatl
vuélvanse contra el tormento desatado
el abismo está ahí
revivan la memoria de nuestras hermanas
que la furia feroz retorne luz, música
para dejar atrás esta noche larga
fría como la guerra
el infierno está ahí
han puesto la nación en alquiler
a ti clamo Xiuhtecuhtli
que la herida no sea mortal
y resplandezca la valentía
y que nuestro canto
maldiga para siempre la traición
vuélvanse tempestad contra el adverso
y que la historia de tus pueblos
Bolivia amada
vuelva a ser pasado y futuro
para ti deseo
que en tus montañas
quede enterrado el corazón del enemigo
Bolivia —símbolo de este tiempo—
pueblo sublevado
contigo floreció la libertad
ahí, donde la estrella de la justicia
permanece viva.

Por el camino se dicen poemas

A las mujeres que migran en las caravanas

En el éxodo
se miran a los ojos
ahí encuentran la esperanza
también ven las verdades
las terribles o amorosas crudezas
de la partida
por el camino se dicen poemas
se cantan las rabias, las resistencias
avanzan, no pierden el ritmo
huyen de este lóbrego país
dicen que son las nadie
las que no tienen nombre
huyen, aquí están tocando fondo
las que sufren las penas de la indigencia
las que escapan, tercas, de los golpes de estado
de los mares de sangre
porque en su país no queda nada
en su marcha dejan atrás la barbarie
no les han quitado todo
les queda su andar, su palabra
y se tienden la mano
en la travesía dejan de ser extrañas
la confianza se conquista paso a paso
la pena de una llega a ser de todas
nostálgicas o alegres buscan un refugio
fresco como el sonido de la música chamánica
de nuestras ancestras
un mundo del presente, para salvarse.

Para preservar sus voces

Pronuncio sus nombres
como en una letanía
para detener sus muertes
para preservar sus voces
para encontrar las pistas de su andar
y le pido a mis diosas Ixchel, Ixmucané
que no descansen
que no callen
que les vuelva ave, flor
para hablarles al despertar
sedienta de recuerdos y venganza
para calmar este dolor mortal, amargo
que me mastica
Uaxaclajuun Ub´aah K´awil
tu nombre me sabe a río y a mar
y a todas las ausencias
muerdo mis sueños
rasgo mis carnes
inconsolable les llamo, les grito
no les olvido.
¡yo soy Ixchel!

Dudas

Te busco con todos los sentidos
y no lo admito
el terror me invade
y no lo acepto
siento tu ausencia
sí, y no creo que tu canto
los actos más triviales
los indistintos momentos de ternura
no me acompañen más
conozco el suplicio
oleaje y arena
amor que se escapa y
amor que razona y se muere
amor de rituales
culpas y fracasos
que tu poderosa figura se torne polvo
no lo admito
tornasol único y absoluto
la incertidumbre, las vacilaciones
no tienen cabida aquí
tu paso por mi vida
es para siempre
te perdono porque no te quedas
me perdono porque te dejo ir
esta es la despedida
es todo.

Lunes

Para mis amados, el Fer y el Poeta

Lunes aciago
lunes estéril
lunes sin gloria
lunes
lunes mortal.

Caminamos hacia el futuro

Como el pino y la flor de jazmín
en el jardín de las delicias
fue tu nacimiento
como llegar a una playa de arena y sal
pensamiento y esperanza
me llevaron como fulminada
por el camino del dorado: la fuente
cambiar el rumbo de mis pasos
y el ritmo de mi corazón
todo lo trocaste, como proceloso viento
me diste la valiente senda
impúdica, placentera
de la libertad y el amor
y caminamos hacia el futuro
yo, que para amarte estaba preparada
desperté desde entonces, cada día
y hasta ahora, para soñarte.

Juventud

Para la revuelta feminista

*"juventud que no se arriesga,
sangre que no se derrama,
ni es sangre ni es juventud"*
MIGUEL HERNÁNDEZ

La juventud y yo paseamos de la mano
con la brisa que trae el aroma de los eucaliptos
a paso de caracol milenario
peregrina, se burla de mí
con su cándida valentía murmura
inicial y única
sigue aquí, me espolea
las arrugas en el rostro no estremecen
y las canas son la gloria
de una vida bien vivida
en la ancianidad continúo siendo pájaro
que canta a la revuelta feminista
nada falta para querer
en la aberrada distancia de la muerte
resistir a los íntimos sueños y mantenerlos vivos
el olvido es tumba
de la juventud que no arriesga.

Milagros

Para Rigoberto Paredes

*"los milagros ocurren,
si se tiene el cuidado de llamar milagros a esos
espasmódicos trucos de la luz."*
SILVIA PLATH

Cómo explico ahora
que tu vivías
secreto y definitivo
como el alba, estremecido por las letras
como el sonido que surge de los pianos
yo solo pido quererte
que la ilusión no muera

cómo cuento ahora
el modo en que se hizo el amor
entre nosotros
cómo vimos
el perfume en la estrella
el violeta en el cristal
la unidad entre la arena y el mar

cómo revelo el milagro
de los pies que se encienden
en el fondo del cielo de coral
de las manos nerviosas

que se vuelven selva
de tu cuerpo que vibra
ante el encuentro de la gracia
del verbo.

1492 data abominable

Yo, que vengo de Aztlán
aprendí a vivir la tragedia
escrita en las líneas de las manos
de mi estirpe
la existencia destrozada por amar la belleza
es voluntad férrea y me acompaña
ella viene de ti, padre Quetzalcoatl
la comprensión de la vida y la muerte
llega a través de ti madre Coatlicue
para mí, que perseguí lo perfecto
son puente en el camino
hacia ese día
desde mi corazón escapa mi canto
firme como piedras eternas
en él se detiene el reloj para mí
y sorbo la muerte
1492 data abominable
1502 el dominio pagano se afianza
1519 inicia la vorágine obscena
hermanas amadas
se detiene la vida.

Para Morazán

*"bajate
descabalga esas alturas
dale historia y quehaceres a tu espada."*
Rigoberto Paredes

Tu espada
latido del bosque
para armar
nuestras certezas
valles montañas cabalgas
a tu lado
Gucumatz
el Jaguar y Josefa
medida de tu vida son
y es verdad
cimentaste
nuestro camino hacia el futuro
cuna benigna
para anular opresiones
y obedecer para siempre
al dulce deseo
de libertad
ejemplar
nos legaste los hilos de la historia
si avanzo sígueme,
si me detengo empújame,
si retrocedo mátame

el cascabel de tu voz
golpea las puertas de esta ciudad
tu rostro espiga dorada
tu sonrisa lluvia de agosto
tu mirada fuego invernal
tu espada
latido en los bosques
entre nosotros está.

La historia de tu amor por nuestra América

para el Comandante Fidel Castro

"por eso desde lejos te he traído
una copa del vino de mi patria:
es la sangre de un pueblo subterráneo"
PABLO NERUDA

La historia de tu amor por nuestra América
nos canta el canto de las cadenas rotas
en estas horas inclementes
somos pueblo que recobra la memoria
resurgida como rosa roja florecida

enderezo mi camino
antes de caer como animala herida
en el silencio incierto de un día sin sol
de una noche sin luna
entretanto, desde la noria algo me lacera
la mirada tiembla deslumbrada

hoy la historia nos lanza sus despojos
la tragedia nos junta en este paraíso perdido
en él adquirimos la fisonomía de las lobas
ávidas, el agua muerde nuestra sed
aprieta la garganta y la rompe
aquí vivimos en duelo sin fin
por el golpe asestado a la justicia

mientras tiembla la mirada deslumbrada
buscamos respuestas en el rojinegro horizonte
indago en aquel lienzo de Rigo Paredes
desde el que nos miras, Comandante Fidel
ahí, donde tu rostro se dilata iluminado
descifro tu presencia, tu nombre y tu ejemplo
sigues aquí, libre, resplandeciente, eterno
para gozar del futuro de nuestra Abya Yala.

Golpes

Guatemala, 1954
Chile, 1973
El Salvador, 1981
Grenada, 1983
Panamá, 1989
Venezuela, 2002
Haití, 2004
Honduras, 2009
Brasil, 2016
golpe a golpe
resuena el egoísmo mortal
un alud se prepara
el hoy, limpio, cristalino
le convierten en ayer inmundo, carroñero
la vida parece un abismo
tiembla la razón
el corazón se turba
pero el dolor no mata
aunque la soga breve, seca
precipita la muerte
y las amenazas tejidas de traición
nos ahogan
y nunca nos vimos tan solas
nuestra mirada atraviesa el terror
la distancia entre presente y futuro
es utopía
y la esperanza de nuevo humedece

las hojas verdes en las tristes casas
y en las calles recorridas
pregonamos heroícas canciones
resuenan nuestros pasos
caminamos y somos muchas
hacemos del futuro la flecha infinita
hoz y martillo
que no falla y no olvida.

**ediciones
Librería Paradiso**

Poética
Herbert Sorto

Poesía de las Mujeres de Estados Unidos
Zoe Anglesey

Límites Existenciales
C.A. Genie

Lengua Adversa
Rigoberto Paredes

Todas las Voces
Anarella Vélez Osejo

Partituras para Cello y Caramba
Rigoberto Paredes

Las de Hoy
Selección de Poesía

Irreverencias y Reverencias
Rigoberto Paredes

Exilio Interior
Francesca Randazzo

Lo que no cabe en mí
Rolando Kattan

Iluminadas
Anarella Vélez Osejo

Sol Noctámbulo
Alejandra Flores

Bocetos de un cuerpo sin forma
Carlos Humberto Santos

Columna de fuego
Anarella Vélez

Ensayo
Atanasio Herranz
El Lenca de Honduras,
una Lengua Moribunda

Manuel Chávez Borjas
Identidad, Cultura y Nación
en Honduras

Mario Ardón Mejía
Pedro Urdimalas en la Tradición Popular

Mario Felipe Martínez
Honduras: Cultura e Identidad

Para la gracia del verso, escritos por y para
el poeta Rigoberto Paredes

Revista Paradiso
Revista de Ciencia, Literatura y Arte

Once de noviembre
Esta edición se terminó de imprimir
en el mes de enero de 2021
en Ediciones Guardabarranco
bajo la supervisión de Anarella Vélez y
Rigoberto Paredes Vélez
en papel editorial 75 gramos
sus guardas son en papel iris 80 gramos
su tiraje consta de 500 ejemplares.